DAL PRA' – GRELLA

Lettrage : Philippe MARLU
Story board : Roberto RICCI

L'ombre du temps

ROBERT
LAFFONT

Per Eleonora, la mia famiglia... e la mia sorellina
Un grazie a Roberto Ricci, Fabio Mantovani e Piergiorgio

Paolo

À paraître :

SRINAGAR

www.laffontbd.fr

Conception graphique de la couverture : Joël Renaudat / Éditions Robert Laffont

Tous droits de traduction, de reproduction
et d'adaptation strictement réservés pour tous pays.
Dépôt légal : octobre 2007
ISBN 978-2-221-10581-8
Numéro éditeur : 47663/01
Photogravure : SPHINX
Imprimé en France par POLLINA - L44475

"DIEU EST PARTOUT,
IL PORTE MILLE ET MILLE NOMS,
MAIS IL N'EST PAS UN BRIN D'HERBE
QUI NE SACHE LE RECONNAÎTRE.
NOUS SOMMES VENUS AU MONDE,
TOUS ENSEMBLE, SUR CETTE TERRE,
POURQUOI NE PAS PARTAGER
NOS JOIES ET NOS DOULEURS ?"
CHEIKH NOUREDDINE

1951.
DANS UN MONASTÈRE
TIBÉTAIN.

JE DOIS LE
PRÉVENIR !

3

C'EST JUSTEMENT DE CELA DONT JE VOULAIS TE PARLER...

...L'ARMÉE CHINOISE N'A PAS OUBLIÉ NOTRE MONASTÈRE... NOUS SOMMES ENCERCLÉS !

JE CROYAIS TOUT CELA TERMINÉ, SURTOUT DEPUIS LA CHUTE DU NAZISME !

ALLEZ, EN AVANT...

...NETTOYEZ-MOI TOUT ÇA !!

POURQUOI FONT-ILS CELA, FRÈRE EGON ?

ILS NE RESPECTENT RIEN ! TU DOIS LEUR PARLER !

QU'EST-CE QUE TU VEUX ?

NOUS SOMMES UN PEUPLE PACIFISTE QUI PRÔNONS LE SILENCE ET LA MÉDITATION...

...DE SIMPLES MOINES QUI ÉTUDIONS LES ÉCRITURES ET LES PAROLES DU TRÈS VÉNÉRABLE BOUDDHA. TOUS LES ÊTRES VIVANTS TREMBLENT DEVANT LE DANGER ET LA MORT...

...CAR TOUS LES ÊTRES CHÉRISSENT LA VIE. QUAND L'HOMME TIENT COMPTE DE CELA, IL NE TUE PAS, ET NE SAURAIT PERMETTRE QUE L'ON TUE !

VOILÀ CE QUE JE TE DIS.

ET VOILÀ CE QUE **MOI** JE TE DIS !

LA RELIGION EST UN POISON QU'IL FAUT EXTIRPER SANS PITIÉ !

BANG BANG

JE VAIS LEUR PARLER, PEUT-ÊTRE AURONT-ILS UN RESTE DE PITIÉ...!

...MAIS TOI, TU DOIS TE CACHER... TU DOIS T'ENFUIR.

JE REFUSE DE M'ENFUIR ET JE NE ME CACHERAI PAS... MES FRÈRES M'ATTENDENT!

ALLEZ, PRESSONS! DEHORS AVEC TOUS LES AUTRES!!

JE M'APPELLE EGON BAUER, CITOYEN AMÉRICAIN ET PROFESSEUR D'ANTHROPOLOGIE À L'UNIVERSITÉ DE LOS ANGELES. ET VOUS, À PART UN ASSASSIN, QUI ÊTES-VOUS?!

COMMENT OSES-TU, VIEILLARD!

SOCK

?!

LAISSEZ-LE !!

BANG

BANG
BANG

BRÛLE-MOI TOUT ÇA !

QU'EST-CE QU'ON FAIT DE LUI ?

LAISSE-LE GRILLER AU MILIEU DE CES MAUDITS MANUSCRITS !

9

RA-TTA-TA-TA-TTA

12

TA RA-TTA TA-TTA

STOOOOP!!

NE TOUCHE PAS À MA SERVIETTE SANS AVOIR MIS DES GANTS, T'AS COMPRIS !

C'EST ELEN, MA NIÈCE, QUI ME L'A PRÉSENTÉ... IL DOIT Y AVOIR ANGUILLE SOUS ROCHE !

VU QUE LE TYPE ME RESSEMBLE, TU NE POURRAS PAS PRÉTENDRE QUE TA NIÈCE A MAUVAIS GOÛT !

JE NE PRÉTENDS RIEN, HUMPHREY... ENFIN, TANT QUE TU TRAVAILLES AVEC MOI !

TU SAIS, JE PENSE QU'APRÈS TES DERNIÈRES DÉCLARATIONS, TA PARTICIPATION AU FILM EST LA MEILLEURE GARANTIE DE NE PAS AVOIR D'ENNUIS AVEC LA COMMISSION.*

MÉFIE-TOI, ILS VOIENT DES COMMUNISTES PARTOUT. TOI AUSSI, ILS TE TIENNENT À L'ŒIL. NE L'OUBLIE PAS !!!

*La Commission des activités anti-américaines, qui sema la panique à Hollywood avec ses investigations obsessionnelles, désordonnées et tout à fait illégales, visant à démasquer de supposés espions communistes dans le monde du cinéma et de la culture.

LA STAR
S'EN VA !

OUAIS...
IL T'A TROUVÉ
TRÈS BON.

AUTREMENT DIT,
UNE FOIS CE FILM
TERMINÉ,
JE NE MOURRAI
PLUS DE FAIM !

OÙ EST PASSÉE
ELEN ?

ELLE EST ALLÉE
À L'UNIVERSITÉ,
PRENDRE
DES NOUVELLES
DE SON PÈRE !

LOS ANGELES
UNIVERSITY

DEPARTMENT
OF
ANTHROPOLOGY

MOI AUSSI, J'AIMERAIS BIEN
SAVOIR OÙ SE TROUVE
VOTRE PÈRE,
EN DOUTERIEZ-VOUS ?

JE SOUHAITE QU'IL RENTRE AU PLUS TÔT !

J'AI VU LE GENRE DE THÈSE QU'IL DÉFEND DEPUIS UN BOUT DE TEMPS, ET CE QUI A MOTIVÉ SON VOYAGE AU *TIBET*.

C'EST UNE THÈSE DANGEREUSE, QUE CET INSTITUT NE VEUT PLUS SUBVENTIONNER. SURTOUT DEPUIS QUE J'EN SUIS DEVENU LE PRÉSIDENT !

CETTE THÈSE PEUT CONTRIBUER À LA CONNAISSANCE DES ÉCRITURES SACRÉES !

C'EST POUR CETTE RAISON QUE LES RECHERCHES DE MON PÈRE ONT ÉTÉ SUBVENTIONNÉES PAR VOTRE PRÉDÉCESSEUR !

L'OBJECTIF DES CHERCHEURS, MADEMOISELLE BAUER, CONSISTE À CONSOLIDER UN SAVOIR QUI SE FONDERA TOUJOURS SUR LA RÉVÉLATION DIVINE !

ET PUIS, JE VOUS DÉCONSEILLE DE PARLER SUR CE TON DE L'ANCIEN DIRECTEUR... IL EST ACTUELLEMENT SOUS LE COUP D'UNE ENQUÊTE DU FBI. ON LE SOUPÇONNE D'ACTIVITÉS ANTI-AMÉRICAINES.

DE TOUTE MANIÈRE, JE NE SUIS PAS VENUE ICI POUR DISCUTER DES RECHERCHES DE MON PÈRE... IL ME SUFFIRA DE SAVOIR DE QUAND DATE LE DERNIER MESSAGE QUE VOUS AVEZ REÇU DE LUI.

D'ENVIRON SIX MOIS...

...LES DERNIÈRES NOUVELLES LE CONCERNANT NOUS SONT PARVENUES DE LA RÉGION OÙ LA RÉPRESSION CHINOISE EST LA PLUS VIOLENTE...

CAPITAINE TONGIU, VOUS AVEZ FAIT PREUVE D'UN ZÈLE EXCESSIF !

J'AVAIS ORDRE DE TOUT DÉTRUIRE, DE CRÉER UN EXEMPLE, AFIN QUE NUL TIBÉTAIN NE PUISSE L'OUBLIER !

CE VIEIL HOMME N'ÉTAIT PAS UN TIBÉTAIN, MAIS UN AMÉRICAIN, PROFESSEUR D'ANTHROPOLOGIE ! ET NE VENEZ PAS ME RACONTER QUE VOUS L'IGNORIEZ...

LE SOLDAT QUI VOUS ACCOMPAGNAIT ET QUI NOUS A REMIS SON SAC NOUS A EXPLIQUÉ QUE CET HOMME A DÉCLINÉ SON IDENTITÉ...

JE M'APPELLE EGON BAUER, CITOYEN AMÉRICAIN ET PROFESSEUR D'ANTHROPOLOGIE À L'UNIVERSITÉ DE LOS ANGELES.

CET HOMME ÉTAIT DONC SI IMPORTANT ?

LES HOMMES NE SONT JAMAIS IMPORTANTS... LEURS IDÉES LE SONT !

ET LES IDÉES AUXQUELLES CE VIEUX PROFESSEUR TRAVAILLAIT, DEPUIS DES ANNÉES, POURRAIENT ÊTRE UTILES À LA DÉFAITE DE L'IMPÉRIALISME, C'EST EN TOUT CAS L'AVIS DE PÉKIN !

PARMI QUELQUES PHOTOGRAPHIES, LE SAC DU PROFESSEUR BAUER CONTENAIT DES CARNETS ET DES LETTRES ADRESSÉES À L'UNIVERSITÉ DE LOS ANGELES, ET À SA FILLE.

J'AI TRANSMIS TOUTES CES PIÈCES POUR LES ANALYSER.

VOILÀ DIX JOURS, J'AI REÇU UNE DÉPÊCHE ME SIGNALANT L'ARRIVÉE, AUJOURD'HUI MÊME, DE L'AGENT SPÉCIAL ZHANG ZIYI, QUI A LES PLEINS POUVOIRS POUR ENQUÊTER SUR LE CONTENU DES TRAVAUX DU PROFESSEUR BAUER.

MAIS CET HOMME EST MORT !

EN ÊTES-VOUS VRAIMENT SÛR, CAPITAINE ? VOUS AVEZ VU SON CADAVRE ?

NON... MAIS NOUS L'AVONS ABANDONNÉ, ÉVANOUI, DANS LA LAMASERIE EN FLAMMES... FRANCHEMENT, JE CROIS QUE...

NOUS N'AVONS PAS À CROIRE ! NOUS DEVONS ÊTRE SÛRS !

VOUS VOUS METTREZ À L'ENTIÈRE DISPOSITION DE L'AGENT ZHANG ZIYI ET VOUS ÉXÉCUTEREZ TOUS SES ORDRES !

BIENVENUE AU TIBET, AGENT ZHANG ZIYI.

GÉNÉRAL, NOTRE PRÉSIDENT VOUS SALUE.

VOICI LE CAPITAINE TONGIU. IL A DIRIGÉ TOUTES LES OPÉRATIONS DANS LA RÉGION QUI NOUS INTÉRESSE.

UN MASSACRE QUI NE FACILITE PAS LES RAPPORTS ENTRE NOTRE PEUPLE ET LE PEUPLE TIBÉTAIN, ET QUI POURRAIT AUSSI ÊTRE LA SOURCE DE CERTAINS PROBLÈMES AVEC LES ÉTATS-UNIS !

JEUNE PRÉSOMPTUEUSE, COMMENT TE PERMETS-TU DE ME CRITIQUER ?

GÉNÉRAL, CETTE LETTRE EST POUR VOUS... POURRIEZ-VOUS LA LIRE, PENDANT QUE JE M'OCCUPE DE MES BAGAGES ?

COLLABORER AVEC CETTE FEMME NE VA PAS ÊTRE FACILE !

TÂCHEZ DE LA VOIR D'UN AUTRE ŒIL, ET RAPPELEZ-VOUS...

... LES YEUX DE CETTE FEMME SONT LES YEUX DU PARTI !

22

DÉPÊCHONS-NOUS...

AVANT QUE VOUS N'ENTAMIEZ VOS RECHERCHES, NOUS AVONS DEUX OU TROIS QUESTIONS À RÉGLER.

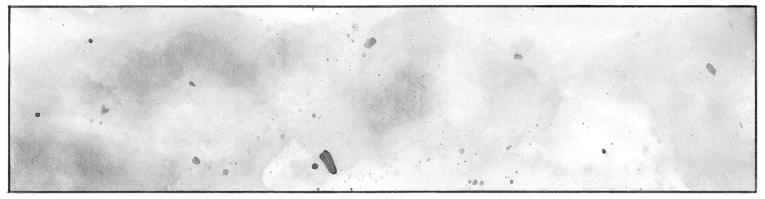

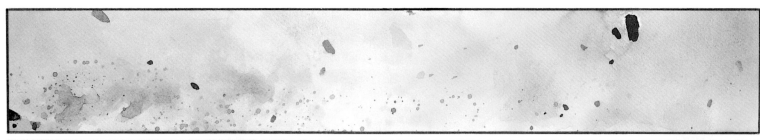

PAS POSSIBLE
D'AVOIR UNE SECONDE
DE DISTRACTION
SUR CETTE ROUTE
DE MERDE !

DEUX ROUES
D'UN COUP,
ET MERDE !

Chester

ET TOI, QU'EST-CE QUE
T'AS À RIGOLER, HEIN ?!

IL EST SORTI DE LA ROUTE !

TANT MIEUX, ÇA NOUS ÉVITE DE L'EMBOUTIR !

JE N'AURAIS JAMAIS ESPÉRÉ QUE QUELQU'UN S'ARRÊTE POUR ME DONNER UN COUP DE MAIN !

COMMENT C'EST ARRIVÉ ?

TU AS BU, OU QUOI !?

TU N'AS PAS NON PLUS LA TÊTE D'UN CROISÉ DE LA LIGUE POUR LE SALUT DES ÂMES PERDUES !

À VOTRE AVIS ? UNE SECONDE DE DISTRACTION, ET PAN !

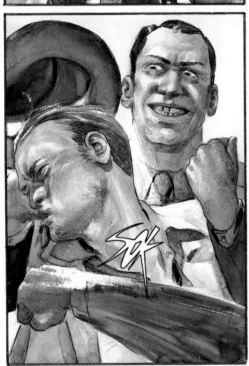

M. CRABB ÉTAIT TRÈS HEUREUX AVEC CETTE FEMME... TRÈS HEUREUX ! MAIS MAINTENANT QUE TU AS JOUÉ LES ESPIONS POUR LE COMPTE DU MARI, M. CRABB NE PEUT PLUS LA VOIR ! ALORS ÇA LUI TAPE SUR LES NERFS !

TU PEUX DIRE À TON CRABB QUE, DANS CERTAINS CAS, SE SECOUER LA MAIN DROITE, ÇA RESTE LA MEILLEURE SOLUTION.

BEUARRR!

T'ES DÉGUEULASSE...!

ON VA REVENIR TE VOIR TOUS LES MOIS, L'ESPION... ET SAVOIR QUE TU AS LA GUEULE COUVERTE DE BLEUS, C'EST LA SEULE CHOSE QUI LE CALME, M. CRABB !

VA T'FAIRE FOUTRE !

OUCH !!

HÉ, LES GARS, UN CONSEIL. PROCUREZ-VOUS DES BÉQUILLES !

?!?!

27

LÈVE LES MAINS OU JE TE TROUE LA PEAU !

DU CALME, MONSIEUR L'AGENT...

JE M'APPELLE KEVIN McBRIDE, MA LICENCE EST DANS LA VOITURE !

CES DEUX TYPES ONT LES ROTULES EN BOUILLIE... APPELLE UNE AMBULANCE !

Paramount Pictures

IL S'AGIT DE MON PÈRE !

...ET AU CAS OÙ TU L'AURAIS OUBLIÉ, C'EST AUSSI TON FRÈRE !

ET TOI, TU PEUX COMPRENDRE QUE LE TIBET SE TROUVE À L'AUTRE BOUT DU MONDE, OU NON ? QUE CE PAYS A ÉTÉ ENVAHI PAR LES CHINOIS, QUE LÀ-BAS, C'EST LA GUERRE. LA GUERRE POUR DE BON, NOM DE DIEU ! ET PAS CELLE QU'ON VOIT DANS LES FILMS !

LE CINÉASTE, C'EST TOI, MON ONCLE ! C'EST TOI QUI FALSIFIES LA RÉALITÉ !

MOI, JE VEUX JUSTE RETROUVER MON PÈRE ! C'EST SI COMPLIQUÉ À COMPRENDRE ?

TON ONCLE N'A PAS TOUS LES TORTS, ELEN.

ET PUIS, ENTRE NOUS, ON PEUT SE DIRE LA VÉRITÉ. TON VIEUX, COMME PÈRE, IL VAUT PAS GRAND-CHOSE ! IL N'A JAMAIS ÉTÉ PRÉSENT !

CELA NE VEUT RIEN DIRE...

...IL NE M'A JAMAIS PRIVÉE DE QUOI QUE CE SOIT. DEPUIS LA MORT DE MAMAN, IL S'EST ENCORE PLUS RETRANCHÉ DANS SES ÉTUDES, DANS SES VOYAGES... MAIS IL M'A TOUJOURS BEAUCOUP AIMÉE, À SA MANIÈRE... ET ÇA ME CONVIENT !

...AU TIBET !!?

KEVIN
McBRIDE
INVESTIGATION

...JE NE SAIS MÊME PAS OÙ C'EST, LE TIBET.

ÇA SUFFIT ! TU LE SAIS TRÈS BIEN, ET MOI JE SAIS QU'UN PETIT CHANGEMENT D'AIR TE FERA LE PLUS GRAND BIEN !

REGARDE COMME ILS M'ONT ARRANGÉ...

...ET TOUT ÇA PARCE QUE J'AI COMMIS UNE BONNE ACTION... POUR UNE FOIS ! LA LIGUE DE DÉFENSE DE LA FAMILLE DEVRAIT ME DÉCORER ! OUAIS... JE MÉRITE UNE MÉDAILLE !

CRABB FINIRA PAR SE CALMER, TU VAS VOIR, DÈS QU'IL TROUVERA UNE AUTRE PETITE SOURIS, IL T'OUBLIERA... D'ICI DEUX MOIS, CE SERA OUBLIÉ.

...DEUX MOIS QUE JE POURRAIS PEUT-ÊTRE PASSER AU TIBET, EN COMPAGNIE DE TA NIÈCE, PAS VRAI ?

KEVIN, IL S'AGIT DE MON FRÈRE. S'IL EST TOUJOURS EN VIE, J'AIMERAIS LE SERRER ENCORE UNE FOIS DANS MES BRAS. AIDE-MOI À LE RETROUVER, JE SAIS ÊTRE GÉNÉREUX !

JE PENSE QUE TU DEVRAIS ME PRÉSENTER TA NIÈCE... À PROPOS... ELLE EST MIGNONNE OU ELLE TE RESSEMBLE ?

TES VANNES À DEUX BALLES, TU PEUX TE LES GARDER...

...EN TOUT CAS, TU SAIS QU'ELLE EST FIANCÉE À MON CASCADEUR, TED CANERTON. JE N'ARRIVE PAS À COMPRENDRE CE QU'ELEN LUI TROUVE, À PART SES MUSCLES, BIEN SÛR !

ALORS, TU ES VRAIMENT DÉCIDÉE ?

JE SUIS SÛRE QU'À MA PLACE, TU EN FERAIS AUTANT.

CHEZ MOI, LE SEUL LIVRE QUE NOUS LISIONS, C'ÉTAIT LA BIBLE... ET JE NE PENSE PAS QUE LA BIBLE NOUS ENSEIGNE L'ABANDON DE NOS ENFANTS ! TON PÈRE EST TOUT DE MÊME PARTI JUSTE POUR SATISFAIRE SON EGO !

QUE CONNAIS-TU DU TRAVAIL DE MON PÈRE ?

J'AI LU SES LETTRES. PRÉTENDRE QUE L'ÉVANGILE NE PARLE PAS DE JÉSUS APRÈS L'ÂGE DE DOUZE ANS PARCE QU'IL SERAIT PARTI POUR LE TIBET...

...EST UN VÉRITABLE BLASPHÈME !!

C'EST TOI QUI BLASPHÈMES ! MON PÈRE ÉTAYE SES THÈSES PAR SES ÉTUDES ET NON POUR OFFENSER QUI QUE CE SOIT.

CHÉRIE, NOUS VIVONS DES MOMENTS DIFFICILES. LES COMMUNISTES SONT PARTOUT... REMETTRE EN CAUSE LES SAINTES ÉCRITURES, C'EST GRAVE, PIRE ENCORE, C'EST DANGEREUX !

QUEL RAPPORT AVEC LES COMMUNISTES ? DE QUOI PARLES-TU ? DEPUIS QUAND ES-TU DEVENU MACCARTHYSTE ?

IL Y A BEAUCOUP DE CHOSES QUE TU IGNORES SUR MOI !

TU AURAIS PU M'EN PARLER ! MAIS IL FALLAIT BIEN TROUVER UNE SOLUTION POUR APPROCHER LE CINÉMA, N'EST-CE PAS ?

TU DIS N'IMPORTE QUOI !

LÂCHE-MOI !

CE QUE J'AI PU ÊTRE BÊTE !

...COMMENT AI-JE PU TOMBER AMOUREUSE D'UN TYPE PAREIL !

MAP OF TIBET

100
Barkul
MONGOLIA
SHAMO
or
GOBI
mi
Ansi
Sachu
Suchou
NAN-SHAN MTS.
KANSU
GREAT WALL
Kanchou
Ningsia
Hoang Ho or Yellow River
40
ORDOS TRIBES
GREAT WALL
Liang-chau
Sining
Koka Nor
AIDAM
Jun
Kumbum
KOKO-NOR
Tauchau
Lanchau
Tytau
Wating
Changwu
Pin
Kungchang
Hoang Ho
Hwei R.
Singan
CHINA
Han-chung
TIBET
Niamcho
Kegudo
Darge Gonchen
KHAM
Yalong
Sung Pan
Pao-ning
Kialing R.
Chentu
Darchendo
30
Litang
Bathang
Lan-tsang or
Kin-sha-kiang
Chungking
Yang-tse-kiang
SZ-CHUEN
Kiating
POYUL
Sudiya
KATSCHIN
Yalung R.
Kweiyang
KWEI-CHAU
Yun-nan
YUNNAN
Bhamo
BURMA
YUN R.
KWANG-SI

ÎL REPREND CONNAISSANCE.

SON ESPRIT CHERCHE SA VOIE.

C'EST UN CARACTÈRE FORTEMENT TREMPÉ.

C'EST UNE TRÈS VIEILLE ÂME.

OÙ SUIS-JE ? QUI ÊTES-VOUS ?

NOUS SOMMES DES MOINES QUI T'AVONS RECUEILLI. SOIS EN PAIX, TU ES UN FRÈRE PARMI LES FRÈRES.

LES MOINES...WANLA ! ILS LES ONT TOUS TUÉS !

ÎL VIENT DE BAÏNANG.

PERSONNE NE PEUT VENIR DE SI LOIN... PAS DANS L'ÉTAT OÙ NOUS L'AVONS TROUVÉ.

OÙ EST MON SAC ? MA MONTRE ?!

TON SAC ET TES VÊTEMENTS SONT ICI, N'AIE CRAINTE... MAIS TU N'AVAIS PAS DE MONTRE, FRÈRE.

MANGE UN PEU, CELA TE FERA DU BIEN !

ILS ONT BRÛLÉ TOUS LES LIVRES... ET TUÉ MES AMIS !

LES AMIS SONT COMME LES LIVRES SACRÉS, ILS NE MEURENT JAMAIS !

QUE DIS-TU ? LE FEU BRÛLE TOUT.

LE FEU VIT, FRÈRE. MAINTENANT, MANGE, TU AS BESOIN DE REPRENDRE DES FORCES.

JE SUIS ICI DEPUIS LONGTEMPS ?

DEPUIS LONGTEMPS OU DEPUIS PEU DE TEMPS... CELA N'A AUCUNE IMPORTANCE...

TU ES RESTÉ ENTRE LA VEILLE ET LE SOMMEIL. TON CORPS ÉTAIT CHAUD ET S'AGITAIT BEAUCOUP.

TU PARLAIS AVEC QUELQU'UN... SON NOM... C'ÉTAIT YUS ASAF !

YUS ASAF...

APRÈS M'ÊTRE ÉVANOUI, J'AI SOUVENT RÊVÉ DE LUI...

...IL ME PRENAIT PAR LA MAIN, AVEC LA DOUCEUR D'UN PÈRE AFFECTUEUX ET PROTECTEUR...

...NOUS NOUS SOMMES ÉLOIGNÉS, INVISIBLES ET LÉGERS, ALORS QUE TOUT BRÛLAIT AUTOUR DE NOUS, TANDIS QUE LES RARES SURVIVANTS CHERCHAIENT À ÉTEINDRE L'INCENDIE, EN VAIN...

...NOUS AVONS MARCHÉ SI LONGTEMPS, PAR DES CHEMINS ESCARPÉS ET ENNEIGÉS...

...ET DES DÉSERTS DE ROCAILLE.

41

VOTRE ONCLE EST UN AMI TRÈS CHER, MADEMOISELLE BAUER... ET PUIS QUITTER UN PEU LOS ANGELES, C'EST EXCELLENT POUR MA SANTÉ.

SI J'ÉTAIS VOUS, JE N'EN SERAIS PAS SI SÛR...

VOS PAPIERS, JE VOUS PRIE.

LES VOICI !

VOUS ALLEZ ME SUIVRE AU POSTE DE COMMANDEMENT.

D'ACCORD, PETIT SOLDAT, MAIS MAINTENANT, ON ME REND LES PAPIERS !

VOUS ALLEZ ME SUIVRE AU POSTE DE COMMANDEMENT !

ET MOI JE VEUX RÉCUPÉRER LES PASSEPORTS !

ÇA SUFFIT ! VOUS ÊTES ICI POUR ME PROTÉGER, PAS POUR ME FAIRE ARRÊTER !

O.K... J'ESSAIERAI DE NE PAS L'OUBLIER !

PRESSONS ! DANS LE CAMION ! ALLEZ !

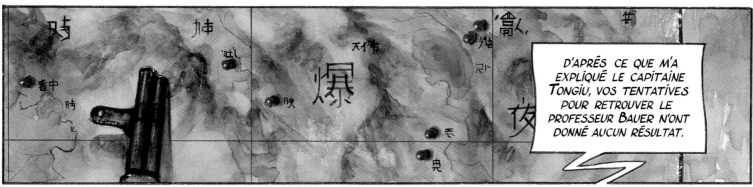

D'APRÈS CE QUE M'A EXPLIQUÉ LE CAPITAINE TONGIU, VOS TENTATIVES POUR RETROUVER LE PROFESSEUR BAUER N'ONT DONNÉ AUCUN RÉSULTAT.

C'EST VRAI... ET IL EST TOUT AUSSI VRAI QU'ON N'A JAMAIS RETROUVÉ SON CORPS !

LE CAPITAINE TONGIU A TOUJOURS SOUTENU QU'IL AVAIT DISPARU, CARBONISÉ DANS LE MONASTÈRE OÙ IL L'A LAISSÉ SANS CONNAISSANCE.

C'EST VRAI... L'INCENDIE... LES MOINES TIBÉTAINS PRÉTENDENT QUE TOUTE CHOSE VIT, MÊME LE FEU !

AGENT ZHANG ZIYI, N'OUBLIE PAS QUE NOUS SOMMES ICI POUR ÉRADIQUER TOUTE FORME DE SPIRITUALITÉ !

SOUMETTRE UN CORPS, GÉNÉRAL, NE SIGNIFIE PAS QUE L'ON AIT CONQUIS SON CŒUR !

LE CŒUR VIT, COMME LE FEU.

CETTE FEMME EST ÉTRANGE ET DANGEREUSE. JE NE COMPRENDS PAS COMMENT LE PARTI PEUT LUI ACCORDER SA CONFIANCE !

IL EST TEMPS QUE JE PARTE, CAPITAINE TONGIU. JE FERAI PART DE VOTRE ÉTONNEMENT À PÉKIN.

DANS L'ESPOIR QU'ILS NOUS DÉBARRASSENT D'ELLE AU PLUS VITE.

SI C'EST À CES JEUNES-LÀ QUE LA CHINE CONFIE SON AVENIR, MIEUX VAUT EN REVENIR AU PASSÉ !

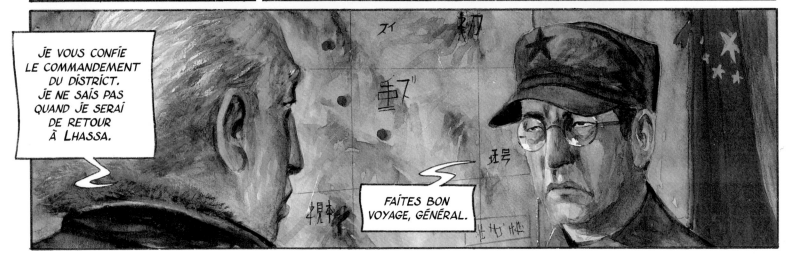

JE VOUS CONFIE LE COMMANDEMENT DU DISTRICT. JE NE SAIS PAS QUAND JE SERAI DE RETOUR À LHASSA.

FAITES BON VOYAGE, GÉNÉRAL.

UN COUP DE FEU !!

SKREEEE

LÀ-BAS !

C'EST UN VOLEUR POURSUIVI PAR NOS HOMMES. DONNEZ-MOI CE FUSIL !

HÈ ! QU'EST-CE QUI TE PREND !

ON NE TIRE PAS SUR UN HOMME DÉSARMÉ !

NE TIREZ PAS... MOI VOLEUR... PAS ASSASSIN !

NE... TIREZ... PAS !

NE TIREZ PAS ! IL EST BLESSÉ !

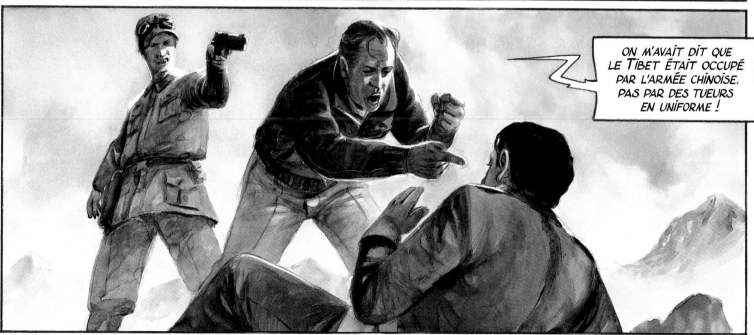

ON M'AVAIT DIT QUE LE TIBET ÉTAIT OCCUPÉ PAR L'ARMÉE CHINOISE. PAS PAR DES TUEURS EN UNIFORME !

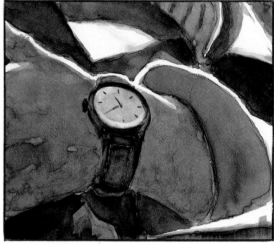

MON DIEU !

ASSASSINS ! VOUS N'ÊTES QUE DES ASSASSINS !

MAINTENANT, ÇA SUFFIT !

STUD !

LIGOTEZ CES AMÉRICAINS ET CHARGEZ-LES DANS LE CAMION.

CETTE MONTRE, C'EST CELLE DE MON PÈRE, J'EN SUIS SÛRE !

VOLEUSE !

C'EST CELLE DE MON PÈRE... L'HOMME QUE VOUS AVEZ ABATTU LA LUI AVAIT VOLÉE !

LAISSEZ-MOI M'EXPLIQUER, NOM DE DIEU !

SI JE SUIS VENUE DANS CET ENFER, C'EST POUR RETROUVER MON PÈRE. ET L'HOMME QUE VOUS AVEZ ABATTU AURAIT PU ME DIRE OÙ IL ÉTAIT !!!

COMMENT ÇA VA, LA TÊTE ?

LES PETITES ÉTOILES ONT DISPARU...

... MAINTENANT, JE NE VOIS PLUS QUE DES FAUCILLES ET UN MARTEAU ! ÇA FAIT COMBIEN DE TEMPS QU'ON EST ENFERMÉS LÀ-DEDANS ?

AU MOINS SIX HEURES !

MAIS CE N'ÉTAIT PAS PLUTÔT À MOI DE VOUS PROTÉGER ?

JE DIRAI À MON ONCLE DE DÉDUIRE TRENTE DOLLARS DE VOS HONORAIRES.

ET SI ON SE TUTOYAIT ? QU'EST-CE QUE VOUS EN PENSEZ ?

DEPUIS QU'ON EST AU TIBET, JE TROUVE QUE C'EST TA MEILLEURE INITIATIVE !

CLAK

JE SUIS LE CAPITAINE TONGIU, COMMANDANT DE CE DISTRICT, SUIVEZ-MOI !

J'ESPÈRE QUE VOUS AVEZ DE BONNES RAISONS POUR JUSTIFIER LE TRAITEMENT QUE NOUS ONT FAIT SUBIR VOS HOMMES...

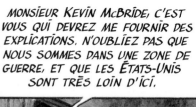

MONSIEUR KEVIN McBRIDE, C'EST VOUS QUI DEVREZ ME FOURNIR DES EXPLICATIONS. N'OUBLIEZ PAS QUE NOUS SOMMES DANS UNE ZONE DE GUERRE, ET QUE LES ÉTATS-UNIS SONT TRÈS LOIN D'ICI.

PUIS-JE ESPÉRER QUE VOUS N'ESSAIEREZ PLUS D'AGRESSER NOS SOLDATS, OU DOIS-JE VOUS FAIRE ENCHAÎNER ?

D'ACCORD... PAS BESOIN DE CHAÎNES... JE VOUS PROMETS QUE JE SERAI DOUX COMME UN AGNEAU.

CET HOMME ÉTAIT UN VOLEUR ET UN ENNEMI DU PEUPLE CHINOIS. IL SUBSISTE ENCORE QUELQUES PETITES POCHES DE RÉSISTANCE QUI TENTENT DE SE REBELLER. MAIS NOUS N'ALLONS PAS TARDER À LES ÉCRASER, SANS PITIÉ !

COMME DES MOUCHES !

CES CHINOIS, JE LES DÉTESTE !

CAMARADE ZHANG ZIYI, VOICI LES CITOYENS AMÉRICAINS DONT NOUS T'AVONS PARLÉ.

MERCI, CAPITAINE. J'IMAGINE QUE VOUS NE VERREZ PAS D'INCONVÉNIENT À ME LAISSER SEULE AVEC NOS INVITÉS ?

JE RESTE EN ATTENTE DU RAPPORT QUE TU VOUDRAS BIEN ME SOUMETTRE.

CES DEUX-LÀ S'ENTENDENT COMME CHIEN ET CHAT !

JE SUIS DÉSOLÉE DE CE QUI S'EST PASSÉ À L'AÉROPORT. VOUS DEVEZ COMPRENDRE QUE NOUS SOMMES TENUS DE CONTRÔLER DE PRÈS LES PAPIERS DES RESSORTISSANTS ÉTRANGERS. SURTOUT QUAND ILS ARRIVENT D'UN PAYS AUSSI LOINTAIN QUE LE VÔTRE. ET AUSSI PEU AMI DE LA CHINE.

53

J'IMAGINE QU'EN PLUS DE NOS PAPIERS VOUS AVEZ AUSSI VU LES DOCUMENTS QUI ONT MOTIVÉ NOTRE VOYAGE ?

ET C'EST POUR CELA QUE J'AI VOULU VOUS RENCONTRER. MOI AUSSI JE SOUHAITE RETROUVER LE PROFESSEUR EGON BAUER !

VOUS... VOUS CONNAISSEZ MON PÈRE ?

J'AI LU LES DOCUMENTS QUE CONTENAIT CE SAC. NOUS L'AVONS RETROUVÉ DANS UN MONASTÈRE EN FLAMMES. VOUS LE RECONNAISSEZ ?

JE LE LUI AI OFFERT AVANT QU'IL N'ENTREPRENNE CE VOYAGE. VOUS PENSEZ QU'IL SERAIT ENCORE VIVANT ?

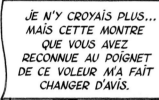

JE N'Y CROYAIS PLUS... MAIS CETTE MONTRE QUE VOUS AVEZ RECONNUE AU POIGNET DE CE VOLEUR M'A FAIT CHANGER D'AVIS.

IL FAISAIT PARTIE DU GROUPE QUI VENAIT DE CETTE RÉGION, SITUÉE AU NORD-OUEST DU PAYS...

L'UN DES LEURS A AVOUÉ QU'IL L'AVAIT TROUVÉE AU BORD D'UN SENTIER MULETIER, À QUELQUES KILOMÈTRES D'UN MONASTÈRE TRÈS ÉLOIGNÉ DE CELUI QUI A BRÛLÉ, OÙ SE TROUVAIT VOTRE PÈRE...

IL EST IMPOSSIBLE QUE VOTRE PÈRE AIT FAIT TOUTE CETTE ROUTE À PIED, MAIS, S'IL Y EST ARRIVÉ, ALORS C'EST DANS CETTE ZONE QUE NOUS DEVRONS ALLER LE CHERCHER !

"MA TRÈS CHÈRE ELEN, JE NE SAIS PAS SI TU RÉUSSIRAS À LIRE CETTE LETTRE UN JOUR, MAIS TROP DE CHOSES M'ENCOMBRENT LE CŒUR ET L'ESPRIT, ET JE DOIS AU MOINS TENTER DE TE LES COMMUNIQUER, À TOI MA FILLE, QUE J'AIME PLUS QUE TOUT...

...
L'ARMÉE POPULAIRE CHINOISE A ENVAHI CES TERRITOIRES AVEC UNE VIOLENCE INOUÏE. ELLE N'HÉSITE PAS À DÉTRUIRE CE QUE L'HOMME A DE PLUS CHER, C'EST-À-DIRE LES TÉMOIGNAGES DE SON PROPRE PASSÉ...

...DANS LA BIBLIOTHÈQUE DU MONASTÈRE OÙ J'AI EFFECTUÉ LA MAJEURE PARTIE DE MES RECHERCHES (MONASTÈRE QUE CES FANATIQUES ONT RÉDUIT À UN TAS DE CENDRES), J'AI DÉCOUVERT DES JOURNAUX TENUS PAR DES MISSIONNAIRES ALLEMANDS, OÙ L'ON PARLE DE LA VIE D'UN HOMME, **YUS ASAF**, NOTRE JÉSUS-CHRIST !...

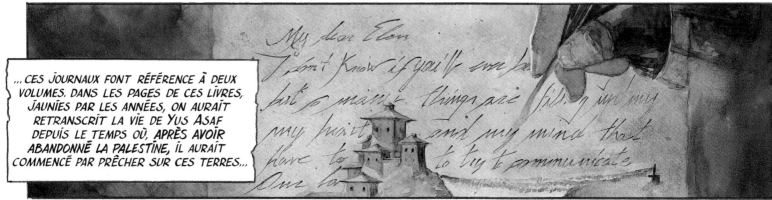

... CES JOURNAUX FONT RÉFÉRENCE À DEUX VOLUMES. DANS LES PAGES DE CES LIVRES, JAUNIES PAR LES ANNÉES, ON AURAIT RETRANSCRIT LA VIE DE YUS ASAF DEPUIS LE TEMPS OÙ, APRÈS AVOIR ABANDONNÉ LA PALESTINE, IL AURAIT COMMENCÉ PAR PRÊCHER SUR CES TERRES...

... ABANDONNÉ LA PALESTINE ! TU TE RENDS COMPTE DE CE QUE CELA SIGNIFIE, MA FILLE ? "

TU CROIS QU'IL EST ENCORE VIVANT ?

JE NE SAIS PAS, SEUL LE LONG VOYAGE QUI NOUS ATTEND DEMAIN POURRA NOUS LE DIRE !

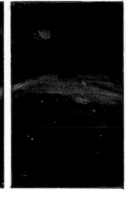